타이베이 스트릿 하우스

이메이 (LeeMay) 글과 그림

May's Taipei House

CONTENTS

0. 프롤로그

1. 다퉁구 (Datong District)

2. 완화구 (Wanhua District)

3. 신이구 (Xinyi District)

4. 중산구 (Zhongshan District)

5. 다안구 (Da'an District)

6. 그 외 지역 (Other Districts)

7. 에필로그

2019년 연말에 타이베이로 여행을 다녀왔어요.
처음 만난 타이베이의 풍경은 한국과 비슷해 보여서 낯설지
않았어요.

일 년 내내 온화한 기온으로 키높이 자란 나무, 소박해 보이
는 건물과 사람들. 덕분에 여행 내내 편안하고 따뜻한 느낌을
받았어요.

여행을 다녀온 후 타이베이의 집들을 그렸어요. 나만의 드로
잉 여행이 시작됐어요.

눈으로 봤던 풍경들을 그림으로 옮기는 동안 그냥 지나쳤던
사소한 것들이 생생하게 보이고, 의미 없어 보였던 것들도
의미 있게 다가왔어요. 이런 게 여행 드로잉의 매력이지요.

이 책에는 여행 중에 그린 그림도 있고, 여행 중에 찍은 사진을
보고 그린 그림들도 있어요. 여행 중에 그렸던 그림은 시간에
쫓겨 마무리하느라 아쉬움이 남았지만 현장에서만 느낄 수 있는
분위기를 표현할 수 있어서 기억에 남았어요.

잠시나마 이 책을 통해 타이베이 그림 여행을 떠나는 시간이
되시길 바라봅니다.

다퉁구

大同區

빈랑 가게

디화제 거리의 옛 건물

초록 지붕 집

길모퉁이 이층집

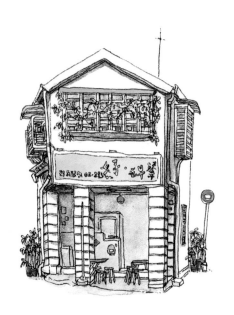

조식 식당

화분과 이층집

인형 뽑기 가게

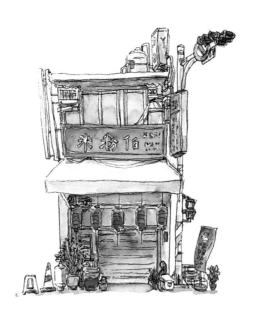

쌀국수집

빨간 의자가 놓인 가게

전통 연근차 가게

Jinxi 거리 풍경

Guisui 골목 풍경

완화구

萬華區

동네 화분 가게

오래된 약방

캔버스 가게

군수용품 가게

용산사

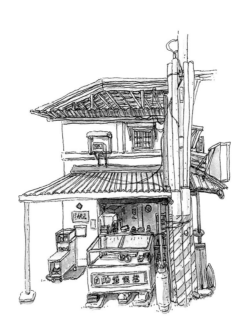

동네 식당

신이구

信義區

공원 근처의 가게

가로등 옆집

빨래가 널린 이층집

동네 국수 가게

파라솔이 있는 가게

타이베이 101

중산구

中山區

카페 'BarDoor Coffee'

등나무 집

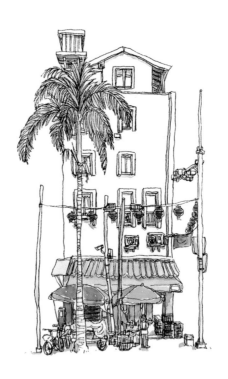

야자수와 시장 건물

타이베이 필름하우스

길모퉁이 가게

동네 세탁소

디저트 가게 'Bing Do'

카페 'Monument'

지붕 위 테라스가 있는 집

붉은 벽돌 집

대문 옆에 나무가 있는 집

분홍색 대문 집

문 앞에 고양이가 있는 집

딤섬 가게

오래된 창고

중산역 작은 집

낮은 담장 옆집

숙소 근처 작은 식당

쌍렌 아침 시장

중산 거리 풍경

다안구

大安區

레스토랑 'James Kitchen'

융캉제 망고 빙수

가로등 옆 가게

베이커리 'La Petite Perle'

파란 대문 집

다기 상점 'Eilong'

동네 이발소

카페 'Louisa Coffee'

노란색 벽 집

푸른 차양 아래 집

그외 지역

台北市

타이베이 거리 풍경

타이베이 거리 풍경

문창궁(Wenchang Temple)

디화지에

에필로그

타이페이 스트릿 하우스

발 행 | 2020년 09월 21일
저 자 | 이메이(LeeMay), instagram@2mayart
펴낸이 | 한건희
펴낸곳 | 주식회사 부크크
출판사등록 | 2014.07.15(제2014-16호)
주 소 | 서울특별시 금천구 가산디지털1로 119 SK트윈타워 A동 305호
전 화 | 1670-8316
이메일 | info@bookk.co.kr

ISBN | 979-11-372-1860-4